1 4 MAI 2008

Le Pirate Atouille

Écrit par Ann Rocard
Illustré par Jean-François Martin

CALLIGRAM

CHRISTIAN GALLIMARD

Il était une fois un petit pirate, haut comme trois
pommes, qui ne faisait pas de mal à une mouche.
Il se nourrissait de courgettes et de poivrons,
de concombres et de citrouilles...
C'est pourquoi on l'avait surnommé le pirate Atouille.
Quel drôle de pirate : peau de pêche, yeux en amande,
nez en patate et oreilles en feuilles de choux.

Le pirate Atouille vivait sur son bateau,
une vraie coquille de noix.
Il parcourait les mers en chantant à tue-tête :

*« Savez-vous planter les choux,
à la mode, à la mode…*

*Savez-vous planter les choux
à la mode de chez nous ? »*

Chaque semaine, il s'arrêtait à Port-Ange
où vivait Clémentine, sa sœur aînée.
Dans son potager, Clémentine cultivait
beaucoup de légumes. Elle en offrait
avec plaisir à son frère préféré, pirate
de son métier :
– Voilà, Atouille ! J'ai ajouté quelques
poireaux dans cette caisse et des fruits
dans celle-là.
– Merci, Clémentine. Tu es un vrai chou !
disait le pirate. À la semaine prochaine.
– Bon voyage, petit frère !

La vie était belle. Atouille était heureux.
Mais hélas, cela ne dura pas !
Un jour, il croisa un immense navire au pavillon noir.

– Oh, oh ! s'écria le pirate Atouille.
Un collègue ! Je vais l'inviter à dîner. Je suis sûr
qu'il adorera ma tarte aux poireaux et...
Le pirate Atouille n'ajouta pas un mot,
car un immense filet tomba sur son petit bateau.

Il se retrouva peu après sur le pont de l'immense navire.

– Où suis-je ? s'étonna Atouille.

– Chez moi ! gronda un gros bonhomme en éclatant
de rire. Qui es-tu, microbe ?

– Je suis le pirate Atouille, mais n'ayez pas peur...

– Je n'ai pas peur ! grogna l'homme.

– Oui, oui, bien sûr... Moi, le pirate Atouille
je ne fais pas de mal à une mouche.

– Moi, ricana l'autre, je fais du mal
à tout le monde.
Est-ce que je dis la vérité ?

– Oui, capitaine ! applaudit tout l'équipage.
Atouille se retourna. Les pirates de ce navire
étaient tous balafrés, tatoués, mal rasés...
Ils portaient de grands sabres et des vêtements rayés.

Le capitaine était le plus laid de tous : le nez crochu, un œil crevé, les moustaches en bataille. Il avait de plus une jambe de bois qui faisait un bruit terrible quand elle heurtait le pont du navire.

– Qu'allez-vous faire de moi ? demanda Atouille.
– Devine microbe ! se moqua le capitaine
du vaisseau.
– Me rendre la liberté ? dit le pirate Atouille.
– HA, HA, HA ! Tu rêves, microbe, tu rêves !
s'amusa le capitaine.
– Vous devriez m'embaucher comme cuisinier,
proposa le pirate Atouille. Je suis le roi des tartes
aux poireaux.
– Beurk ! fit le capitaine, horrifié. Sur ce navire,
nous ne mangeons jamais de légumes. Beurk !
C'est dégoûtant.
– Beurk ! C'est dégoûtant...
répéta l'équipage.

Le pirate Atouille n'en revenait pas : comment pouvait-on détester les légumes ?
Et il demanda :
– Voulez-vous que je vous prépare un gratin de poisson ?
– Beurk ! fit le capitaine. Tu n'es pas le roi des tartes aux poireaux, mais le roi des cornichons.
– Pourquoi ? s'étonna le pirate Atouille, vexé.
– Parce que tu n'as pas encore compris, microbe... gronda le capitaine. Nous sommes des mangeurs d'hommes !

En entendant ces mots, le pirate Atouille perdit
connaissance... ce qui rendit le capitaine fou furieux :
– Un microbe qui tombe dans les pommes !
Il est blanc comme un navet ! Secouez-le
comme un prunier !

– Oui, capitaine ! Bien, capitaine !
Le pirate Atouille ouvrit les yeux : horreur !
Il ne rêvait pas.
Le capitaine se tenait au-dessus de lui, se frottant
l'estomac et grinçant des dents.

Atouille serra les poings pour se donner du courage
et il bredouilla :
– Ca... Ca...
– Quoi ? Canne à pêche ? Cacatoès ?
ricana l'énorme pirate.
– Capitaine, j'ai une proposition à vous faire...
dit le pirate Atouille.
Le capitaine fronça les sourcils : ce microbe
voulait peut-être savoir à quelle sauce
il allait être mangé ?

– Oui, capitaine, j'ai une proposition à vous faire, répéta
le pirate Atouille. Je vous provoque en combat singulier.
Si vous gagnez, vous me croquez. Mais si je gagne,
vous finissez dans un panier à salade.
– Un panier à salade, qu'est-ce que c'est ? grogna
le capitaine.
– Une voiture roulante où l'on enferme les prisonniers,
expliqua le pirate Atouille.

Le capitaine se mit à rire, à rire très fort, puis il déclara :
– Ta proposition m'amuse, microbe ! Cela va me mettre
en appétit. J'accepte tes conditions, parole de pirate !
Et il se précipita sur Atouille, en brandissant
son sabre.

Le pirate Atouille n'avait pas d'arme, mais il était agile.
Il sautait d'un côté, de l'autre. Il glissait entre les pattes
du capitaine en se moquant de lui :
– Vous devriez faire un régime ! Un régime de bananes !
Furieux, le capitaine hurla :
– Tais-toi, microbe ! Je vais te croquer...
– Ça ne sert à rien de parler pour des prunes ! Il faudrait
d'abord m'attraper, capitaine ! Pour l'instant attrapez
plutôt ça !

Le pirate Atouille sortit de sa poche une tomate bien
mûre et la lança au visage de l'énorme pirate en criant :
– En pleine poire !

– En pleine poire ! s'amusa l'équipage qui commençait
à trouver Atouille bien sympathique.

Plus le capitaine gigotait, plus il s'essoufflait.
Atouille comprit que le moment était venu d'en finir.
Il n'avait ni sabre, ni hache… mais quelques fruits
et légumes dans ses larges poches.
Il laissa donc tomber une peau de banane
sur le pont du navire.

Le capitaine ne la vit même pas. Il glissa sur la peau,
pirouetta au-dessus du grand mât et retomba dans la mer
où les requins le dévorèrent.

– Qu'allons-nous devenir ? gémirent les pirates
de l'équipage.
– Savez-vous planter les choux ? demanda
le pirate Atouille.
– Heu, non...
– Avez-vous déjà goûté de la tarte aux poireaux ?
ajouta le pirate Atouille.
– Heu, non... mais on veut bien essayer.

Le pirate Atouille frappa dans ses mains et proposa :
– Que diriez-vous d'un nouveau capitaine ?
D'un capitaine-cuisinier dont la sœur, Clémentine,
est la reine du potager ?
– Hourra ! approuva l'équipage.

Depuis ce jour, l'immense navire s'arrête
régulièrement à Port-Ange où l'attend Clémentine.
Et sur les mers, on entend chanter à longueur
de nuit, à longueur de journée :

« *Savez-vous planter les choux,*
à la mode, à la mode…

Savez-vous planter les choux
à la mode de chez nous ? »

Dans la même collection

© 2008 Calligram
Tous droits réservés
Imprimé en Italie
ISBN : 978-2-88480-394-6